Post für den Tiger

Janosch, geboren 1931 in Zaborze, Oberschlesien, arbeitete in verschiedenen Berufen, ab 1953 als freier Künstler. Er lebt und arbeitet auf einer einsamen Insel.
Seine Kinder- und Bilderbücher erscheinen bei Beltz & Gelberg und weltweit in vielen Übersetzungen.

Post für den Tiger ist bei MINIMAX auch auf Englisch erschienen.

Didaktisches Begleitmaterial zu diesem Titel finden Sie als Download unter www.beltz.de/lehrer

Herausgegeben in Zusammenarbeit mit dem Moritz Verlag
von Markus Weber

FSC
www.fsc.org
MIX
Papier aus verantwor-
tungsvollen Quellen
FSC® C089473

www.beltz.de
Erstmals als MINIMAX bei Beltz & Gelberg im August 2004

© 1980 Beltz & Gelberg
in der Verlagsgruppe Beltz · Weinheim Basel
Alle Rechte vorbehalten
Neue Rechtschreibung
Gesamtherstellung: Beltz Bad Langensalza GmbH, Bad Langensalza
Printed in Germany
ISBN 978-3-407-76014-2
10 11 12   17 16 15

Post
für den Tiger

Die Geschichte,
wie der kleine Bär und der kleine Tiger
die Briefpost, die Luftpost
und das Telefon erfinden

BELTZ
& Gelberg

Einmal, als der kleine Bär wieder
zum Fluss angeln ging, sagte der kleine
Tiger:

»Immer, wenn du weg bist, bin ich so einsam.
Schreib mir doch mal einen Brief aus der Ferne,
damit ich mich freue, ja!«
»Ist gut«, sagte der kleine Bär und nahm gleich
blaue Tinte in einer Flasche mit, eine Kanarien-
vogelfeder, denn damit kann man gut schreiben.

Und Briefpapier und einen Umschlag zum
Verkleben.

Unten am Fluss hängte er zuerst einen Wurm
an den Haken und dann die Angel in das Wasser.
Dann nahm er die Feder und schrieb mit der
Tinte auf das Papier einen Brief:

»Lieber Tiger!

Teile dir mit, dass es mir gut geht, wie geht es
dir? Schäle inzwischen die Zwiebeln und koch
Kartoffeln, denn es gibt vielleicht Fisch.

Es küsst dich dein Freund Bär.«

Dann steckte er den Brief in den Umschlag
und verklebte ihn.
Er fing noch zwei Fische: einen zur Speisung
und einen, damit er ihm das Leben schenken
konnte. Damit er sich darüber freut; denn
Freude ist für jeden schön.

Abends nahm er den Fisch und den Eimer,
die Tinte und die Feder und auch gleich den
Brief mit und ging nach Haus.

Halt, Bär, du hättest beinahe die Angel
vergessen!

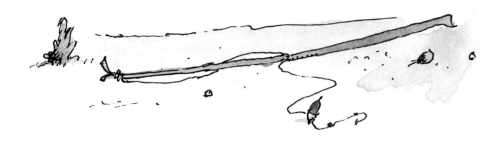

»O ja, schönen Dank«, sagt der kleine Bär.
Er rief schon aus der Ferne vom kleinen Berg
herunter:

      »Po-st-für-den-Ti-ger!
      Po-st-für-den-Ti-ger!«

Aber der kleine Tiger hörte ihn nicht,
weil er hinter dem Haus lag.

Hatte keine Zwiebeln geschält und keine
Kartoffeln gekocht.
Hatte die Stube nicht gefegt und auch die
Blumen nicht gegossen.
Hatte zu nichts Lust gehabt, weil er wieder
so einsam war.

Und jetzt wollte er keinen Brief mehr.

Denn jetzt war der kleine Bär sowieso
und persönlich und selbst zu Haus.

In der Nacht weckte der kleine Tiger
den kleinen Bären und sagte:
»Ich muss dir schnell noch etwas sagen,
ehe du einschläfst. Könntest du mir
morgen den Brief etwas eher schicken?
Vielleicht durch einen schnellen Boten?«
»Ist gut«, sagte der kleine Bär und nahm am
nächsten Tag wieder alles mit. Die Tinte,
die Feder, das Papier, den Umschlag.

Aber auch eine Briefmarke.

Am Fluss hängte er wieder den Wurm an die
Angel und die Angel in den Fluss.
Dann schrieb er:

»Lieber Freund Tiger.
Mach alles so, wie ich es dir gestern schon
schrieb. Hoffentlich geht es dir gut.
Schnelle Grüße und heiße Küsse.
Dein Freund Bär.«

Da kam die elegante Gans vorbei.

»Ob Sie einen Brief mitnehmen könnten, bitte?
An meinen Freund, den Tiger im Haus.«
»Tut mir Leid«, sagte die elegante Gans.
»Hab's eilig, muss auf eine Beerdigung.«

Dann kam der dicke Fisch vorbei.

»Ob Sie einen Brief mitnehmen könnten an
mei …«, da war der Fisch schon weg.
Fische sind blitzschnell.
Und vielleicht auch schwerhörig.

Und dann kam die flinke Maus gelaufen.
Wollte den Brief nehmen.
Aber da kam so ein kleiner, blauer Wind, nahm
den Brief wie ein Segel und wehte beinahe alles
davon.

Dann kam der Fuchs vorbei.

»Ob Sie einen Brief mitnehmen könnten,
Herr Fuchs?«, fragte der kleine Bär.
»An den Tiger im Haus?«

»Tiger im Haus?«, sagte der Fuchs.

»Nein, tut mir Leid, hab' keine Zeit. Ich muss mit der eleganten Gans auf ihre Beerdigung gehen.«

Ach, wie kurz ist doch das Leben, kleine Gans!

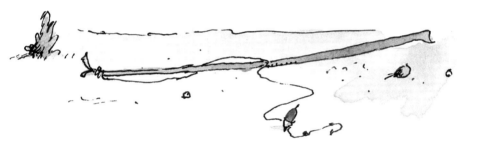

Dann kam der Elefant im Boot.

»He!«, rief der kleine Bär, »hören Sie mal her!«
Aber der Elefant schlief wohl, denn er bewegte
sich nicht.

Auch der Esel mit dem Rucksack wollte den
Brief nicht mitnehmen.
Und auch der kleine Mann mit der langen Nase
nicht.

Aber dann kam der Hase mit den schnellen Schuhen.

»Geben Sie her, Herr Bär! Ist der Brief im Kuvert?

Ist eine Briefmarke drauf?«

Und jetzt, Hase, lauf!

Der Hase rannte, so schnell ihn seine Schuhe

trugen, hastduihnnichtgesehn zum Tiger nach Haus.

Der kleine Tiger hatte heute wieder zu nichts
Lust gehabt. Hatte keine Zwiebeln geschält und
keine Kartoffeln gekocht. Keine Stube gefegt
und nicht einmal Feuer im Ofen gemacht.

»Post für den Tiger!«, rief der schnelle Hase
und der Tiger sprang auf und rief:
»Wo wie was für wen und von wem?«
»Für den Tiger«, sagte der Hase.
»Oh, der Tiger bin ich selbst, geben Sie her!«
Er tanzte vor Freude auf dem Tisch,
auf dem Stuhl, auf dem Bett, auf dem Sofa.
Las den Brief von vorn bis hinten und von
hinten bis vorn.

Hatte jetzt wieder zu allem Lust und schälte die
Zwiebeln, kochte Kartoffeln. Fegte die Stube
und das Leben war schön.
Er machte ein heißes Feuer im Ofen und holte
Petersilie im Garten für den guten Fisch zum
Abendbrot.

Und als der Bär nach Hause kam, machten sie sich einen gemütlichen Abend, aßen Fisch mit heißen Kartoffeln und tranken Gänsewein aus dem Brunnen.
Und nach dem guten Essen veranstalteten sie einen kleinen Budenzauber mit Geigenrabatz und Tanzvergnügen. Einer spielte die Kochlöffelgeige und der Tiger strich den Besenstielbass.

Als der glückliche Maulwurf in der Ferne die schöne Musik hörte, kam er sofort zu Besuch.

Und tanzte auf dem Tisch mit seinem Spazierstock einen verliebten Schlummerlichtwalzer.

»Heut' ist der schönste Tag meines Lebens«,
rief der kleine Tiger.
Und das war nicht gelogen.

In der Nacht weckte der kleine Tiger den
kleinen Bären und sagte:
»Ehe du einschläfst, wollte ich dir schnell bloß
sagen: Morgen darfst *du* dir Post wünschen.
Damit du dich auch mal freuen kannst.
Einmal ich und einmal du. Gute Nacht noch.«

Am nächsten Tag nahm der kleine Tiger den
Korb für die Pilze, die blaue Tinte in der
Flasche, die Feder und das Briefpapier und
ging in den Wald.

Heute schrieb *er* einen Brief an den kleinen Bären:

»Geliebter Freund und Bär!
Ich schreibe dir hiermit einen Brief, dass
du dich freust. Hoffentlich sehen wir uns bald.

Heute Abend gibt es Pilze in Butter geschmort.
Ich sehe sie hier nebenan schon wachsen.
Mit Herzkuss dein geliebter Freund Tiger.
Warte auf mich.«

Und so ging das jetzt jeden Tag.
Einmal schrieb der kleine Bär an den kleinen
Tiger und dann wieder umgekehrt.
Und der schnelle Hase war der Briefträger.

Einmal in der Nacht weckte der kleine Tiger
den kleinen Bären und sagte:
»Wir könnten doch auch einmal einen Brief
an unsere Tante Gans schreiben.
Damit sie sich auch mal freut, ja?«
Also schrieben sie gleich am nächsten Tag
einen Brief an ihre Tante Gans. Schöne Grüße,
alles Gute und wie es ihr gehe.

Dann schrieb die Gans an ihren Vetter Igel.
Der Igel an den kleinen Mann mit der langen
Nase.

Der Elefant wollte an seine Frau nach Afrika
schreiben.

»Nach Afrika«, sagte der schnelle Hase,
»kann ich nicht laufen. Das wäre Luftpost.
Den befördert die Brieftaube hinüber.«

Und weil jetzt jeder mal einen Brief schreiben
wollte, konnte der schnelle Hase die Arbeit
allein nicht bewältigen und er stellte die
anderen Hasen aus dem Wald als Briefträger
ein.

»Ihr müsst«, sagte er, »schnell und schweigsam
sein. Dürft die Briefe nicht lesen und das,
was darin steht, niemandem erzählen. Alles
klar?«

»Alles klar«, riefen die Hasen mit den schnellen
Schuhen und alles war klar.

Dann wurden Kästen für die Briefe an alle
Bäume gehängt, damit die Hasen sie nicht
mehr bei jedem abholen mussten. Und gelb
gestrichen.

Einmal sagte der kleine Tiger:
»Aber wenn du im Wohnzimmer bist, ist es
mir in der Küche auch so einsam, Bär.«
Da legten sie einen Gartenschlauch von hier
nach dort. – Haustelefon.
»Hören Sie mich, hallo, hören Sie mich, wer
spricht dort?«

»Hier spricht der Herr Bär, ich verstehe Sie
deutlich.«

»Wir könnten doch«, sagte der kleine Tiger, »auch
ein Telefon durch den Fluss legen, dann brauche
ich nicht immer so schwer zu schreiben.«

Und das taten sie auch.

Unterwasserkabel.

»Und wenn wir so ein Telefon unter der Erde hätten«, sagte der kleine Tiger, »könnten wir durch den ganzen Wald bis zu unserer Tante Gans telefonieren.«

Da gruben die Maulwürfe ein unterirdisches Kabel-Telefon-Unterhaltungsnetz. Von hier nach dort und von dort nach da, kreuz und quer.

»Hallo, Tante Gans, hier spricht dein kleiner Tiger. Kannst du mich hören, Tante Gans? Ja, ich bin hier, der Ti-ger mit dem kleinen Tigerschwänzchen hinten, dein Neffe.«
»Und ich der Bär«, rief der Bär, »sag, ich bin auch hier, Tiger!«

Der Elefant telefonierte mit der Zentrale.
»Hier Zentrale. Hier Zentrale. Nach Afrika?
Nein, leider keine Verbindung nach Afrika
möglich. Ende.«
»Nicht so schlimm«, sagte der Elefant, »dann
schreib ich per Luftpost.«

Und jetzt konnte hier jeder im Wald und am
Fluss an jeden einen Brief schreiben und wenn
er wollte, mit seiner Freundin in der Ferne
reden.
War das nicht fabelhaft?

»O Bär«, sagte der Tiger, »ist das Leben nicht
unheimlich schön, sag!«
»Ja«, sagte der kleine Bär, »ganz unheimlich
und schön.«

Und da hatten sie verdammt ziemlich Recht.